OBJECTO ANÓNIMO ®
www.objectoanonimo.com

Colorir ◆ Painting

# Portugal

*Azulejos padrões e figuras* ◆ *Tiles, patterns and figures*

Com páginas destacáveis
With detachable pages
Avec des pages détachables
Con páginas destacables

FROM *Portugal* .COM

Veja soluções de como fazer origamis em fromportugal.com/pt/pages/10-origami.html

See origami solutions on page fromportugal.com/en/pages/10-origami.html

**Conceção / Edição:**
Objecto Anónimo, Lda.

**Autoria / Capa:**
Pedro Rodrigues

**Ilustração:**
Maria Manuela Morais

**Introdução:**
Pedro Rodrigues

**Tradução:**
Inglês: Alexandra Leitão
Francês: Odete Silva
Espanhol: Marta Heras

Primeira Edição
Novembro de 2015

ISBN 978-989-8256-62-1
Depósito Legal 400914/15

# Índice / Index

## Introdução

A arquitetura portuguesa, da mais imponente à mais comum, está repleta de padrões nos azulejos, nos revestimentos para o chão, nos estuques dos tetos dos edifícios e na arte de trabalhar o ferro forjado. Também está presente no artesanato, como nas rendas de Bilros, onde surgem desenhos complexos. As inúmeras representações figurativas, que ilustram cenas da nossa história, surgem nos vitrais, nas talhas douradas das igrejas e outros monumentos, nos murais de azulejos, na pedra trabalhada ou simplesmente nas mensagens de amor como nos "lenços dos namorados" de Viana. Apresentamos aqui uma série de padrões e figuras de edifícios portugueses para colorir e é impossível não ficarmos encantados com o detalhe e genialidade de algumas destas composições.

Esperamos que se divirtam e relaxem ao pintar este livro e, simultaneamente, contemplem a riqueza do pormenor arquitetónico, que era característico de épocas anteriores.

## Introduction

From the grandest buildings to the most vernacular examples, Portuguese architecture is brimming with patterns in the shape of azulejos, floorings, stucco-work in building ceilings and wrought iron. Handcrafted work, such as Renda de Bilros (bobbin lace), also produce complex patterns. There are endless figurative representations depicting scenes from our history. These include stained glass, giltwood carvings in churches and other monuments, azulejo wall panels, carved stone or simply love messages such as those embroidered on the "sweetheart handkerchiefs" of Viana do Castelo. This colouring book presents a number of patterns and figures from Portuguese buildings and it is hard not to be enchanted by the detail and artistry of some of these compositions.

We hope you have fun and relax as you colour in this book and at the same time contemplate the wealth of architectural details that were characteristic of earlier ages.

## Introducción

La arquitectura portuguesa, desde la más imponente hasta la más común, está repleta de diseños en forma de azulejos, en los revestimientos del suelo, en los estucos de los techos de los edificios y en el arte de trabajar el hierro forjado. También en la artesanía, como en el encaje de bolillos, surgen diseños complejos. Son innumerables las representaciones figurativas que muestran escenas de nuestra historia, como los vitrales, las tallas doradas de las iglesias y otros monumentos, los murales de azulejos, la piedra labrada o simplemente los mensajes de amor que aparecen, por ejemplo, en los "lenços dos namorados" ("pañuelos de los enamorados") de Viana. Les presentamos aquí una serie de diseños y figuras de edificios portugueses para colorear y garantizamos que será imposible no admirar el nivel de detalle y la genialidad de algunas de estas composiciones.Esperamos que se diviertan y relajen al pintar este libro y que al mismo tiempo, contemplen la riqueza de los pormenor arquitectónicos característicos de épocas anteriores.

## Introduction

L'architecture portugaise, de la plus importante à la plus commune, est pleine de patrons sous la forme d'azulejos, dans les revêtements de sol, sur les plafonds en plâtre des bâtiments et dans l'art de travailler le fer forgé. Des patrons complexes surgissent aussi dans l'artisanat, comme, par exemple, dans les « rendas de Bilros » [les dentelles de Bilros]. Plusieurs représentations figuratives font allusion à des scènes de l'histoire portugaise comme les vitraux, les tailles dorées des églises et autres monuments, les panneaux d'azulejos, la pierre sculptée ou tout simplement les messages d'amour comme ceux des « lenços dos namorados » [les mouchoirs des amoureux] de Viana. Nous présentons ici une série de patrons et d'images d'édifices portugais à colorier et cela est impossible de ne pas se laisser charmer par le détail et la génialité de certaines compositions. Nous espérons que vous vous divertirez et vous détendrez en coloriant ce livre et que, en même temps, vous apprécierez la richesse des détails architecturaux, caractéristiques d'époques passées.

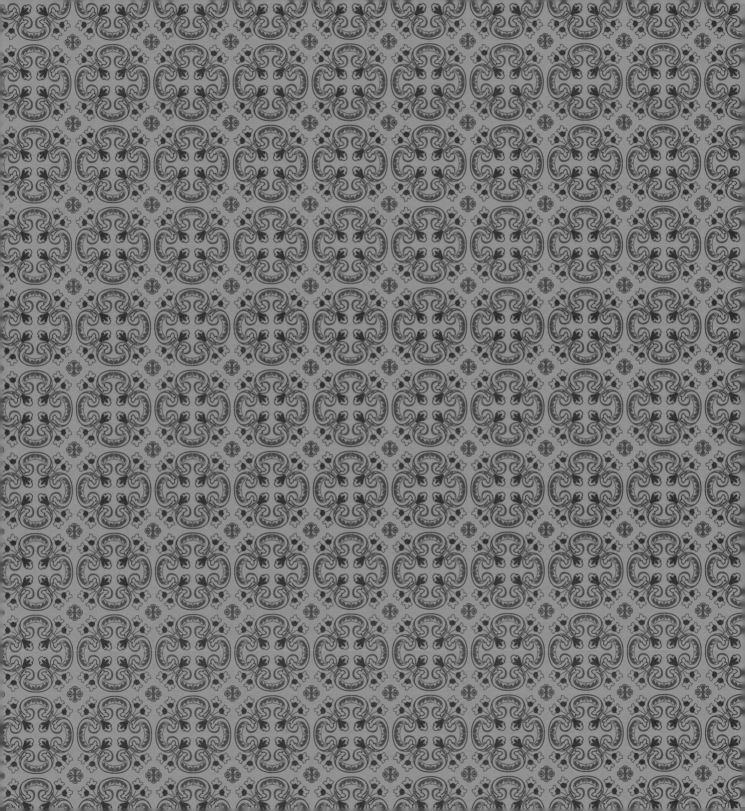

Aqui tens meu curaçaõ
e a chabe pró abir

Nim ten!
nem

Bai carta feliz bra
Nas asas dum
passarinho

...ais que te dar

...ais que me pedir.

Cando bires o meu amor

Dále um abraço e um beijinho

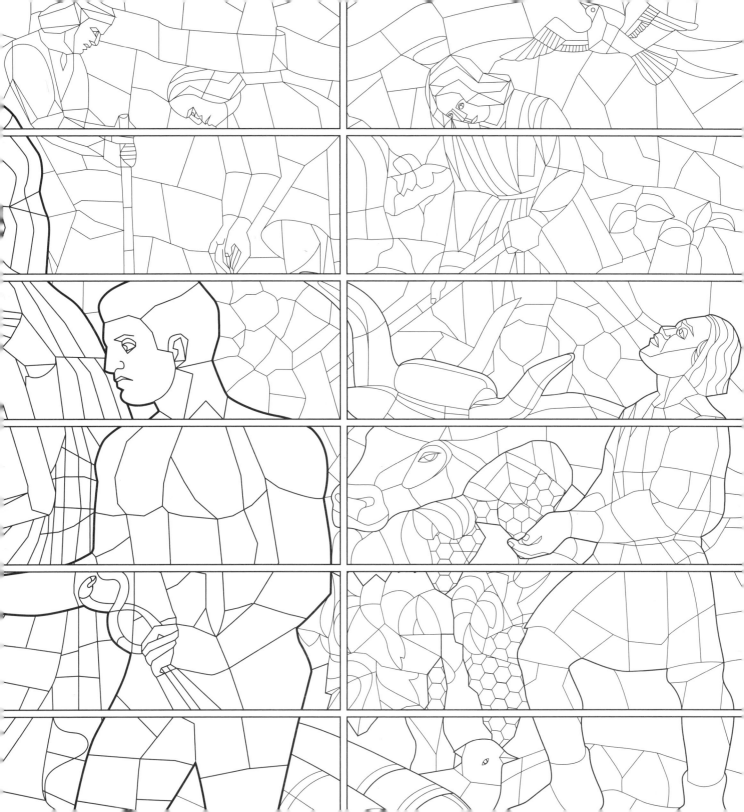

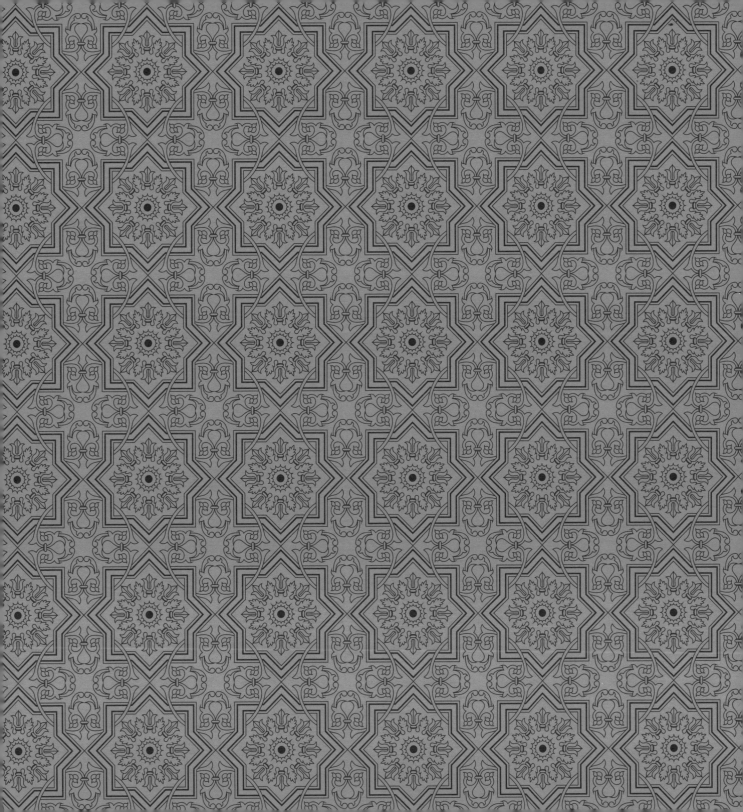

Quer aprender a fazer origami?

Want to learn how to do origami?

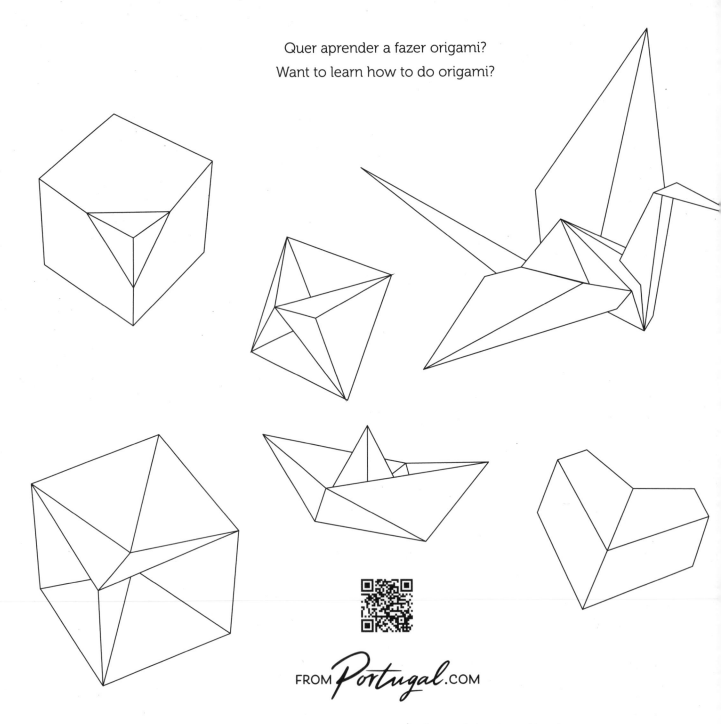

FROM *Portugal*.COM

Visite-nos em fromportugal.com/pt/pages/10-origami.html

Visit us on fromportugal.com/en/pages/10-origami.html